a b c d e f g

My First abc

n o p q r s t u v w x y z

a

alphabet

A B C D E
F G H I J K
L M N O P
Q R S T U
V W X Y Z

butterfly

C

carrots

a b c d e f g h i j k l m

d

dog

n o p q r s t u v w x y z

e

elephant

f

flower

g

grapes

h

horse

i

ice cream

j

jigsaw

k

kite

l

leaf

m

mug

nuts

o

orange

p

pencils

q

queen

r

rabbit

S sun

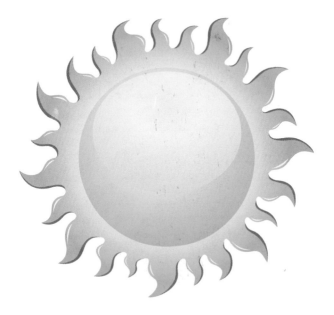

t

tree

u

umbrella

V

violin

W

wheel

xylophone

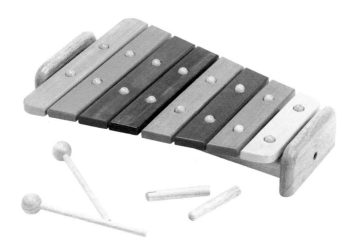

y

yoyo

zebra

a b c d e

f g h i j

k l m n o

p q r s t

u v w

x y z